GOSCINNY ET UDERZO
PRÉSENTENT
UNE AVENTURE D'ASTÉRIX

ASTÉRIX
CHEZ LES BRETONS

Texte de **René GOSCINNY**   Dessins d'**Albert UDERZO**

hachette
HACHETTE LIVRE - 43, quai de Grenelle, 75905 Paris Cedex 15

www.asterix.com

AVEZ-VOUS TOUT LU ?

LES ALBUMS D'ASTÉRIX LE GAULOIS

AUX ÉDITIONS HACHETTE

LES AVENTURES D'ASTÉRIX LE GAULOIS

1 ASTÉRIX LE GAULOIS
2 LA SERPE D'OR
3 ASTÉRIX ET LES GOTHS
4 ASTÉRIX GLADIATEUR
5 LE TOUR DE GAULE D'ASTÉRIX
6 ASTÉRIX ET CLÉOPÂTRE
7 LE COMBAT DES CHEFS
8 ASTÉRIX CHEZ LES BRETONS
9 ASTÉRIX ET LES NORMANDS
10 ASTÉRIX LÉGIONNAIRE
11 LE BOUCLIER ARVERNE
12 ASTÉRIX AUX JEUX OLYMPIQUES
13 ASTÉRIX ET LE CHAUDRON
14 ASTÉRIX EN HISPANIE
15 LA ZIZANIE
16 ASTÉRIX CHEZ LES HELVÈTES
17 LE DOMAINE DES DIEUX
18 LES LAURIERS DE CÉSAR
19 LE DEVIN
20 ASTÉRIX EN CORSE
21 LE CADEAU DE CÉSAR
22 LA GRANDE TRAVERSÉE
23 OBÉLIX ET COMPAGNIE
24 ASTÉRIX CHEZ LES BELGES

LA GRANDE COLLECTION

1 ASTÉRIX LE GAULOIS
2 LA SERPE D'OR
3 ASTÉRIX ET LES GOTHS
4 ASTÉRIX GLADIATEUR
5 LE TOUR DE GAULE D'ASTÉRIX
6 ASTÉRIX ET CLÉOPÂTRE
7 LE COMBAT DES CHEFS
8 ASTÉRIX CHEZ LES BRETONS
9 ASTÉRIX ET LES NORMANDS
10 ASTÉRIX LÉGIONNAIRE
11 LE BOUCLIER ARVERNE
12 ASTÉRIX AUX JEUX OLYMPIQUES
13 ASTÉRIX ET LE CHAUDRON
14 ASTÉRIX EN HISPANIE
15 LA ZIZANIE
16 ASTÉRIX CHEZ LES HELVÈTES
17 LE DOMAINE DES DIEUX
20 ASTÉRIX EN CORSE

ALBUM DE FILM

LES DOUZE TRAVAUX D'ASTÉRIX

ALBUM DOUBLE

ASTÉRIX CHEZ LES BRETONS / ASTÉRIX ET LES NORMANDS

AUX ÉDITIONS ALBERT RENÉ

LES AVENTURES D'ASTÉRIX LE GAULOIS

25 LE GRAND FOSSÉ
26 L'ODYSSÉE D'ASTÉRIX
27 LE FILS D'ASTÉRIX
28 ASTÉRIX CHEZ RAHÃZADE
29 LA ROSE ET LE GLAIVE
30 LA GALÈRE D'OBÉLIX
31 ASTÉRIX ET LATRAVIATA
32 ASTÉRIX ET LA RENTRÉE GAULOISE
33 LE CIEL LUI TOMBE SUR LA TÊTE
34 L'ANNIVERSAIRE D'ASTÉRIX ET OBÉLIX - LE LIVRE D'OR

LA RENTRÉE GAULOISE - Alsacien - Breton - Corse - Gallo - Occitan - Picard
LE GRAND FOSSÉ - Picard
ASTÉRIX CHEZ RAHÃZADE - Arabe - Hébreu
LE CIEL LUI TOMBE SUR LA TÊTE - Latin
L'ANNIVERSAIRE D'ASTÉRIX ET OBÉLIX - LE LIVRE D'OR - Picard

LA GRANDE COLLECTION

25 LE GRAND FOSSÉ
26 L'ODYSSÉE D'ASTÉRIX
27 LE FILS D'ASTÉRIX
28 ASTÉRIX CHEZ RAHÃZADE
29 LA ROSE ET LE GLAIVE
30 LA GALÈRE D'OBÉLIX
31 ASTÉRIX ET LATRAVIATA
32 ASTÉRIX ET LA RENTRÉE GAULOISE

HORS COLLECTION

LA GALÈRE D'OBÉLIX - VERSION TOILÉE
ASTÉRIX ET LATRAVIATA - L'ALBUM DES CRAYONNÉS
LE CIEL LUI TOMBE SUR LA TÊTE - VERSION LUXE
Crayonnés et couleurs / Grand format
LE LIVRE D'ASTÉRIX LE GAULOIS
UDERZO de Flamberge à Astérix
ASTÉRIX ET SES AMIS - HOMMAGE À ALBERT UDERZO

ALBUM ILLUSTRÉ

COMMENT OBÉLIX EST TOMBÉ DANS LA MARMITE
DU DRUIDE QUAND IL ÉTAIT PETIT

ALBUMS DE FILM

LA SURPRISE DE CÉSAR
LE COUP DU MENHIR
ASTÉRIX ET LES INDIENS
ASTÉRIX ET LES VIKINGS
ASTÉRIX AUX JEUX OLYMPIQUES
ASTÉRIX & OBÉLIX AU SERVICE DE SA MAJESTÉ

CATALOGUES D'EXPOSITIONS

LE MONDE MIROIR D'ASTÉRIX - VERSION FRANCE
ILS SONT FOUS... D'ASTÉRIX

DES MÊMES AUTEURS AUX ÉDITIONS ALBERT RENÉ

LES AVENTURES D'OUMPAH-PAH LE PEAU-ROUGE

OUMPAH-PAH - L'INTÉGRALE

LES AVENTURES DE JEHAN PISTOLET

JEHAN PISTOLET, CORSAIRE PRODIGIEUX
JEHAN PISTOLET, CORSAIRE DU ROY

JEHAN PISTOLET ET L'ESPION
JEHAN PISTOLET EN AMÉRIQUE

Édition 2012 - Tirage limité : 100 000 exemplaires

© 1966 GOSCINNY-UDERZO
© 1999 HACHETTE
Dépôt légal : octobre 2012 - Édition 01
ISBN : 978-2-01-210189-0
Imprimé en France par *Pollina* - L23553.

Loi n° 49956 du 16 juillet 1949 sur les publications destinées à la jeunesse

NOUS SOMMES EN 50 AVANT JÉSUS-CHRIST. TOUTE LA GAULE EST OCCUPÉE PAR LES ROMAINS... TOUTE ? NON ! UN VILLAGE PEUPLÉ D'IRRÉDUCTIBLES GAULOIS RÉSISTE ENCORE ET TOUJOURS À L'ENVAHISSEUR. ET LA VIE N'EST PAS FACILE POUR LES GARNISONS DE LÉGIONNAIRES ROMAINS DES CAMPS RETRANCHÉS DE BABAORUM, AQUARIUM, LAUDANUM ET PETIBONUM...

ASTÉRIX, LE HÉROS DE CES AVENTURES. PETIT GUERRIER À L'ESPRIT MALIN, À L'INTELLIGENCE VIVE, TOUTES LES MISSIONS PÉRILLEUSES LUI SONT CONFIÉES SANS HÉSITATION. ASTÉRIX TIRE SA FORCE SURHUMAINE DE LA POTION MAGIQUE DU DRUIDE PANORAMIX...

OBÉLIX EST L'INSÉPARABLE AMI D'ASTÉRIX. LIVREUR DE MENHIRS DE SON ÉTAT, GRAND AMATEUR DE SANGLIERS ET DE BELLES BAGARRES. OBÉLIX EST PRÊT À TOUT ABANDONNER POUR SUIVRE ASTÉRIX DANS UNE NOUVELLE AVENTURE. IL EST ACCOMPAGNÉ PAR IDÉFIX, LE SEUL CHIEN ÉCOLOGISTE CONNU, QUI HURLE DE DÉSESPOIR QUAND ON ABAT UN ARBRE.

PANORAMIX, LE DRUIDE VÉNÉRABLE DU VILLAGE, CUEILLE LE GUI ET PRÉPARE DES POTIONS MAGIQUES. SA PLUS GRANDE RÉUSSITE EST LA POTION QUI DONNE UNE FORCE SURHUMAINE AU CONSOMMATEUR. MAIS PANORAMIX A D'AUTRES RECETTES EN RÉSERVE...

ASSURANCETOURIX, C'EST LE BARDE. LES OPINIONS SUR SON TALENT SONT PARTAGÉES : LUI, IL TROUVE QU'IL EST GÉNIAL, TOUS LES AUTRES PENSENT QU'IL EST INNOMMABLE. MAIS QUAND IL NE DIT RIEN, C'EST UN GAI COMPAGNON, FORT APPRÉCIÉ...

ABRARACOURCIX, ENFIN, EST LE CHEF DE LA TRIBU. MAJESTUEUX, COURAGEUX, OMBRAGEUX, LE VIEUX GUERRIER EST RESPECTÉ PAR SES HOMMES, CRAINT PAR SES ENNEMIS. ABRARACOURCIX NE CRAINT QU'UNE CHOSE : C'EST QUE LE CIEL LUI TOMBE SUR LA TÊTE, MAIS COMME IL LE DIT LUI-MÊME : "C'EST PAS DEMAIN LA VEILLE !"

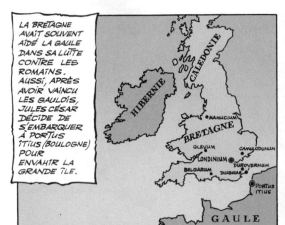

LA BRETAGNE AVAIT SOUVENT AIDÉ LA GAULE DANS SA LUTTE CONTRE LES ROMAINS. AUSSI, APRÈS AVOIR VAINCU LES GAULOIS, JULES CÉSAR DÉCIDE DE S'EMBARQUER À PORTUS ITIUS (BOULOGNE) POUR ENVAHIR LA GRANDE ÎLE.

LES BRETONS RESSEMBLAIENT AUX GAULOIS ET BEAUCOUP D'ENTRE EUX ÉTAIENT LES DESCENDANTS DES TRIBUS VENUES DE GAULE POUR S'INSTALLER EN BRETAGNE. ILS PARLAIENT LA MÊME LANGUE QUE LES GAULOIS, MAIS AVAIENT UNE FAÇON UN PEU SPÉCIALE DE S'EXPRIMER...

BONTÉ GRACIEUSE ! CE SPECTACLE EST SURPRENANT !

IL EST, N'EST-IL PAS ?...

LES BRETONS ÉTAIENT COMMANDÉS PAR LE CHEF CASSIVELLAUNOS

MAIS LES BRETONS, MALGRÉ TOUTE LEUR BRAVOURE, AVAIENT D'ÉTRANGES COUTUMES QUI NUISAIENT À L'EFFICACITÉ DE LEURS ARMES...

AOH ! JE PENSE QU'IL VA ÊTRE L'HEURE N'EST-IL PAS ?

L'HEURE ?.. L'HEURE DE QUOI ?

BANG !

JE DEMANDE VOTRE PARDON. NOUS CONTINUERONS PLUS TARD.

MAIS OÙ VONT-ILS, PAR JUPITER ?

JE NE SAIS PAS, PAR MERCURE ! ILS NOUS LAISSENT TOMBER EN PLEIN COMBAT. ÇA NE SE FAIT PAS, ÇA !

?

2A

... ILS S'ARRÊTAIENT TOUS LES JOURS À 5 HEURES, POUR BOIRE DE L'EAU CHAUDE...

JE PRENDRAI UN NUAGE DE LAIT, JE VOUS PRIE.

S'IL VOUS PLAÎT, FAITES !

PUIS-JE AVOIR DE LA MARMELADE POUR LES RÔTIES ?

SÛR, VOUS POUVEZ !

ET EN PLUS, ILS S'ARRÊTAIENT DEUX JOURS TOUS LES CINQ JOURS...

FIN DE SEMAINE. DÉSOLÉ !...

MAIS ILS M'AGACENT À LA FIN !!!

?

JULES CÉSAR, FIN STRATÈGE, DÉCIDA ALORS DE NE LIVRER BATAILLE QUE VERS CINQ HEURES TOUS LES JOURS ET TOUTE LA JOURNÉE LES JOURS DE REPOS DES BRETONS...

AOH ! CHOQUANT. CE NE SONT PAS DES GENTILS HOMMES.

À L'ATTAQUE PAR JUNON !

ET BIENTÔT, CASSIVELLAUNOS DOIT SE SOUMETTRE ET TOUTE LA BRETAGNE EST OCCUPÉE ...

2B

TOUTE ? NON ! CAR UN VILLAGE RÉSISTE ENCORE À L'ENVAHISSEUR. UN PETIT VILLAGE DANS LE CANTIUM...

TCHAC!

IL Y A LÀ DES HOMMES VENUS DE TOUTE LA BRETAGNE, UNIS PAR LEUR AMOUR DE LA LIBERTÉ. PARMI EUX, DES HIBERNIENS ET DES CALÉDONIENS...

O'TORINOLARINGOLOGIX ET MOI-MÊME AVONS ÉTÉ CONVOQUÉS PAR LE CHEF, JOLITORAX.

OUI, MAC ANOTERAPIX, LA SITUATION EST ASSEZ SÉRIEUSE. PLUTÔT.

EN EFFET...

NOUS NE POURRONS PLUS TENIR BIEN LONGTEMPS CONTRE LES ROMAINS. IL NOUS FAUT DE L'AIDE.

MERCI. PAS DE SUCRE. DU LAIT. UN NUAGE.

J'AI UN COUSIN GERMAIN QUI HABITE EN GAULE. SON VILLAGE RÉSISTE DEPUIS LONGTEMPS AUX ROMAINS. IL PARAÎT QUE C'EST GRÂCE À UNE POTION MAGIQUE QUI LEUR DONNE UNE FORCE SURHUMAINE.

3A

JOLITORAX ! VA EN GAULE VOIR TON COUSIN ET RAPPORTE-NOUS DE LA POTION MAGIQUE. C'EST NOTRE DERNIER ESPOIR.

AOH. CELA ME PERMETTRA DE REVOIR MON CHER COUSIN ASTÉRIX. JE NE L'AI PAS VU DEPUIS LONGTEMPS. QUOI ?

JE PORTE UN TOAST AU SUCCÈS DE CETTE MISSION !

DÈS LA NUIT VENUE...

BONNE CHANCE, ET TOUTE CETTE SORTE DE CHOSES.

...L'HABILE JOLITORAX PARVIENT À SE GLISSER À TRAVERS LES LIGNES ROMAINES...

CETTE NUIT, ON EST TRANQUILLES : IL N'Y A PAS DE BROUILLARD, ILS NE VONT PAS ESSAYER DE SORTIR CES BRETONS.

...ET À ATTEINDRE LA CÔTE POUR S'EMBARQUER À BORD D'UN FRÊLE ESQUIF, EN DIRECTION DE LA GAULE.

JOLITORAX A ÉTÉ ÉLEVÉ DANS LA TRIBU DES CAMBRIDGES QUI SONT, AVANT TOUT, D'EXCELLENTS RAMEURS.

TCHAC ! TCHAC !

3B

LA PAIX RÈGNE DANS LE PETIT VILLAGE GAULOIS QUE NOUS CONNAISSONS BIEN. ELLE RÈGNE MÊME TELLEMENT QUE...

JE M'ENNUIE, ASTÉRIX. IL N'Y A PRESQUE PLUS DE ROMAINS.

TU SAIS BIEN, OBÉLIX, QUE LES ROMAINS SONT EN BRETAGNE, POUR LA PLUPART.

MAIS, CE N'EST PAS JUSTE ÇA ! SI LES BRETONS VEULENT S'AMUSER AVEC LES ROMAINS, ILS N'ONT QU'À VENIR ICI, AU LIEU DE LES EMMENER CHEZ EUX !

POUR LA DERNIÈRE FOIS, OBÉLIX : LES BRETONS N'ONT PAS EMMENÉ LES ROMAINS CHEZ...

HEM, HEM !

PLOUF !

JE DIS MESSIEURS : POURRIEZ-VOUS M'INDIQUER LA RÉSIDENCE DE M. ASTÉRIX ?

?!

JE SUIS ASTÉRIX !

JE DIS. ÇA C'EST UN MORCEAU DE CHANCE ! JE SUIS JOLITORAX ! SECOUONS-NOUS LES MAINS !

JOLITORAX ! MON COUSIN GERMAIN !

ET ÇA, C'EST OBÉLIX, MON MEILLEUR AMI !

SECOUONS-NOUS LES MAINS !...

BON.

OBÉLIX !

BOM !
BOM !
BOM !
BOM !

MAIS C'EST CE GERMAIN QUI M'A DIT...

CE N'EST PAS UN GERMAIN, C'EST UN BRETON ET IL NE PARLE PAS TOUT À FAIT COMME NOUS !!!

SPLENDIDE ! SPLENDIDE !

QUELLE FORCE ! ELLE VOUS VIENT DE LA MAGIQUE POTION ?

OUI, OBÉLIX EST TOMBÉ DANS LA POTION MAGIQUE QUAND IL ÉTAIT PETIT !...

ON LE SAURA !

JUSTEMENT, COUSIN ASTÉRIX, IL NOUS FAUT DE LA MAGIQUE POTION POUR COMBATTRE LES ROMAINES ARMÉES.

VIENS, JOLITORAX, NOUS ALLONS PARLER À ABRARACOURCIX, NOTRE CHEF !

POURQUOI PARLEZ-VOUS À L'ENVERS ?

JE DEMANDE VOTRE PARDON ?

JE...??!

C'EST UN GERMAIN BRETON, MAIS IL NE FAUT PAS LE SECOUER TROP FORT, MÊME S'IL LE DEMANDE.

?.

LES EXPLICATIONS D'ASTÉRIX AYANT ÉTÉ PLUS CLAIRES QUE CELLES D'OBÉLIX...

NOUS VOUS AIDERONS ! JE VAIS DEMANDER À PANORAMIX, NOTRE DRUIDE, DE PRÉPARER DE LA POTION MAGIQUE. BEAUCOUP DE POTION MAGIQUE !

5A

EN ATTENDANT, VIENS CHEZ MOI, JOLITORAX.

JE SERAI RAVI, J'EN SUIS SÛR, D'ALLER DANS LA VÔTRE MAISON !

VOUS AVEZ VU MON CHIEN PETIT ?

QUE PUIS-JE T'OFFRIR, JOLITORAX ? UN SANGLIER ? DU LAIT DE CHÈVRE ? DE LA CERVOISE ?

UNE TASSE D'EAU CHAUDE AVEC UN NUAGE DE LAIT JE VOUS PRIE.

???

ILS SONT BEAUX CES VÊTEMENTS. SCROTCH ! SCRONTCH !

C'EST DU TISSU DE CALÉDONIE. NOUS APPELONS CELA DU TWEED.

SLIP ! SLIP ! C'EST CHER ?

MON TAILLEUR EST RICHE.

VENEZ CHEZ MOI, LA POTION MAGIQUE EST PRÊTE. C'EST POUR EMPORTER, JE CROIS ?

5B

9

DANS CE TONNEAU, IL Y A DE QUOI DONNER DE LA FORCE À TOUTE TA TRIBU, ET DES SOUCIS À TOUS LES ROMAINS.

JE SUIS TRÈS RECONNAISSANT À VOUS, DRUIDE PANORAMIX...

MAIS COMMENT VAIS-JE FAIRE, TOUT SEUL, POUR EMPORTER CE GRAND TONNEAU EN BRETAGNE ?

ÉVIDEMMENT, TU POURRAIS BOIRE DE LA POTION POUR AVOIR LA FORCE DE PORTER LE TONNEAU MAIS CE SERAIT BÊTE D'UTILISER LA POTION POUR ÇA.

PLUTÔT.

TU PENSES À CE QUE JE PENSE, OBÉLIX ?

OH OUI, ASTÉRIX ! PUISQUE LES ROMAINS SONT EN BRETAGNE, ALLONS RIGOLER EN BRETAGNE.

6A

ET BIEN, JOLITORAX, SI NOTRE CHEF LE PERMET, NOUS IRONS AVEC TOI EN BRETAGNE.

MERVEILLEUX !... MAIS JE NE VOUDRAIS PAS ÊTRE UN ENNUI POUR VOUS.

TIENS ! VOICI LE CHEF.

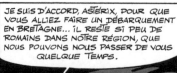

JE SUIS D'ACCORD, ASTÉRIX, POUR QUE VOUS ALLIEZ FAIRE UN DÉBARQUEMENT EN BRETAGNE... IL RESTE SI PEU DE ROMAINS DANS NOTRE RÉGION, QUE NOUS POUVONS NOUS PASSER DE VOUS QUELQUE TEMPS.

JE DIS ! ÇA, C'EST UN MORCEAU DE CHANCE !

NOUS ALLONS REVOIR LES ROMAINS ! NOUS ALLONS REVOIR LES ROMAINS ! TRALALA !

OUAH! OUAH!

ATTENDEZ. JE VAIS VOUS REMPLIR DES GOURDES DE POTION POUR LE VOYAGE.

QUELLES SONT CES HERBES ÉTRANGES, PANORAMIX ?

CE SONT DES HERBES QUI VIENNENT DE TRÈS LOIN. JE NE SAIS PAS ENCORE À QUOI ELLES SERVENT. TU PEUX EN PRENDRE SI ÇA T'AMUSE.

6B

10

NOS AMIS ONT FINI LEURS PRÉPARATIFS DE DÉPART...

TU SERAS BIEN SAGE PENDANT MON ABSENCE, HEIN, IDÉFIX ?

SNIF !

...ET TOUT LE VILLAGE EST RÉUNI POUR FAIRE SES ADIEUX AUX COURAGEUX VOYAGEURS.

LYRE ? QUELLE LYRE ? NON, JE N'AI PAS VU TA LYRE, ASSURANCETOURIX.

MAIS ALORS... POUR MON CHANT D'ADIEU ?

CRAC !

NOUS AURIONS DÛ EMPORTER QUELQUES VIVRES.

BONTÉ GRACIEUSE ! POUR QUOI FAIRE ? EN BRETAGNE, LA NOURRITURE EST DÉLICIEUSE ; ELLE VOUS PLAIRA J'EN SUIS SÛR. QUOI ?

AH ! VOICI MON BATEAU.

IL N'EST PAS GROS !

IL EST PLUS PETIT QUE LE JARDIN DE MON ONCLE...

74

...MAIS IL EST PLUS GRAND QUE LE CASQUE DE MON NEVEU.

À CE MOMENT, UNE GALÈRE ROMAINE QUITTE DUBRAE (DOUVRES), EN BRETAGNE ET SE DIRIGE VERS LA GAULE, RAMENANT À SON BORD, UNE PARTIE DE LA GARNISON DU CAMP FORTIFIÉ D'AQUARIUM...

TU DOIS ÊTRE HEUREUX, Ô TULLIUS STRATOCUMULUS, DE RETROUVER TON CALME CAMP FORTIFIÉ D'AQUARIUM, APRÈS CETTE RUDE CAMPAGNE CONTRE LES BRETONS !

DANS MA RÉGION, IL Y A UN VILLAGE DE FOUS, ET PLUTÔT QUE DE LES RETROUVER, PAR JUPITER, JE PRÉFÈRE N'IMPORTE QUELLE CAMPAGNE.

FRÊLE ESQUIF, DROIT DEVANT !

?!

73

18

LONDINIUM. LE PALAIS DU GOUVERNEUR ROMAIN...

...DANS LE BUREAU DUQUEL, L'AMBIANCE N'EST PAS À LA FÊTE !

ILS ONT RÉUSSI À PASSER ENTRE NOS PATROUILLES. ILS SE DIRIGENT VERS LONDINIUM, Ô CAIUS ROIDEPRUS.

IL FAUT LES CAPTURER, PAR JUNON ! ET SURTOUT, IL ME FAUT LEUR TONNEAU DE POTION MAGIQUE !

ILS VONT SANS DOUTE SE RÉFUGIER DANS UNE AUBERGE. FOUILLEZ TOUTES LES AUBERGES ET CONFISQUEZ TOUS LES TONNEAUX...

ET SI VOUS NE TROUVEZ PAS, JE VOUS FAIS BOUILLIR ET SERVIR AUX LIONS AVEC DE LA SAUCE À LA MENTHE !!!

MAIS C'EST HORRIBLE, ÇA !

OUI, PAUVRES BÊTES !

PENDANT CE TEMPS, DANS UN PETIT BOIS, TOUT PRÈS DE LONDINIUM...

LES ENTRÉES DE LA VILLE DOIVENT ÊTRE GARDÉES... NOUS ATTENDRONS LE BROUILLARD POUR Y PÉNÉTRER.

MAIS ÇA PEUT PRENDRE DU TEMPS, ÇA !

AOH, NON. LE BROUILLARD TOMBE ASSEZ VITE EN CETTE...

...SAISON.

ILS SONT FOUS CES BRETONS !

J'ALLAIS LE DIRE ASTÉRIX !

ALLONS-Y !

PEU APRÈS...

NOUS Y SOMMES !

MAIS IL Y A UNE ÉMEUTE LÀ-BAS !

NON. VOUS AVEZ UN MORCEAU DE CHANCE : CE SONT DES BARDES TRÈS POPULAIRES CHEZ NOUS !

SI ASSURANCETOURIX VOYAIT ÇA !

LÀ, NOUS AVONS DES AMIS.

POM POM POM POM... POM POM POM POM !

LA GAULOISE AMPHORE

SPÉCIALITÉ DE VINS GAULOIS

AH, JOLITORAX ET LES GAULOIS ! VOUS POUVEZ ENTRER. IL N'Y A PAS DE ROMAINS.

SALUT RELAX.

VOUS ÊTES RECHERCHÉS PAR LES ROMAINS. IL VAUT MIEUX ATTENDRE QUE CESSE L'AGITATION, EN RESTANT CACHÉS À LONDINIUM. VOUS POURSUIVREZ PLUS TARD VOTRE VOYAGE VERS LE DISSIDENT VILLAGE.

JE VAIS CACHER VOTRE TONNEAU DANS MA CAVE PARMI LES TONNEAUX DE VIN GAULOIS.

PEU APRÈS...

QU'EST-CE QUE JE VOUS SERS POUR ARROSER LE SANGLIER BOUILLI ? DE L'EAU CHAUDE, DE LA CERVOISE TIÈDE, OU DU VIN ROUGE GLACÉ ?

C'EST MA TOURNÉE, BIEN SÛR.

À PROPOS, QUEL GENRE DE MONNAIE UTILISEZ-VOUS, ICI ?

AOH, C'EST TRÈS SIMPLE VRAIMENT...

NOUS AVONS DES LINGOTS DE FER QUI PÈSENT UNE LIVRE ET QUI VALENT TROIS SESTERCES ET DEMI, PLUS QUATRE PIÈCES DE ZINC QUI VALENT UNE PIÈCE ET DEMI DE CUIVRE CHACUNE. LES SESTERCES VALENT DOUZE PIÈCES DE BRONZE ET...

ILS SONT...

BOIS TA CERVOISE, ELLE VA REFROIDIR.

?!?

AU NOM DE CÉSAR, OUVREZ !

POM POM ! POM !

20

UNE ROMAINE PATROUILLE ! VITE ! CACHEZ-VOUS !

ALORS, PAR JUPITER, TU OUVRES ?

J'ARRIVE ! J'ARRIVE !

POM ! POM !

EXCUSEZ-MOI, J'AVAIS QUELQUE CHOSE EN TRAIN DE BOUILLIR SUR LE FEU.

ÇA VA, ÇA VA. NOUS CHERCHONS TROIS HOMMES !

FOUILLEZ, VOUS AUTRES !

QUELQUES INSTANTS PLUS TARD...

NOUS N'AVONS TROUVÉ PERSONNE, MAIS LA CAVE EST PLEINE DE TONNEAUX, DÉCURION !

ALLEZ ! ON LES CONFISQUE TOUS !

CECI EST PLUTÔT RÉVOLTANT. VOUS ME RUINEZ !

CE SONT LES ORDRES, AUBERGISTE. NOUS CONFISQUONS TOUS LES TONNEAUX, CAR NOUS CHERCHONS UNE ARME SECRÈTE !

TON NOM EST SUR LES TONNEAUX. SI POUR TON MALHEUR UN DE TES TONNEAUX EST CELUI QUE NOUS CHERCHONS... TU M'AS COMPRIS. AVÉ.

TOUT CELA EST ASSEZ ENNUYEUX !

ASSEZ.

PLUTÔT.

JE DIS.

AU LIEU DE VOUS ÉNERVER, TROUVONS LE MOYEN DE RÉCUPÉRER NOTRE TONNEAU, AVANT QUE LES ROMAINS NE LE DÉCOUVRENT !

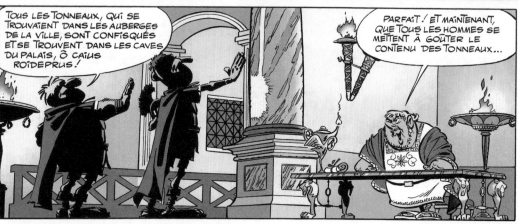

BU...

...VEZ !

ET N'OUBLIEZ PAS DE METTRE UNE CROIX SUR LE TONNEAU AUQUEL VOUS VENEZ DE GOÛTER... MAINTENANT, JE VOUS LAISSE CONTINUEZ LA MANŒUVRE !

ET LA MANŒUVRE SE POURSUIT DANS L'ORDRE ET LA DISCIPLINE...

FLOUF !

...PENDANT DES HEURES...

HIPS !

...SCUSEZ-MOI !

...ET DES HEURES.

HIPS !
HIPS !
HIPS !
HIPS !
HIPS !
HIPS !

BANG !

CLAUDIUS LAPSUS ! TU AS DÉJÀ GOÛTÉ À CE... HIPS !... TONNEAU !

CH'EST QUE J'VEUX ÊTRE SÛR QUE CE N'EST PAS D'LA POCHION MAGI... HIPS !... MAGIQUE !

BIENTÔT, LA BELLE ORDONNANCE DU DÉBUT N'EST PLUS QU'UN SOUVENIR.

CHE TONNEAU... HIPS !... ON N'Y A PAS ENCORE GOÛTÉ...

GLOU ! GLOU ! GLOU !

VIVE LA ROME VIVE LA ROME, VIVE L'AROOOOME DU BON VIN !

QUI QUI VEUT CH'BATTRE ? HEIN ?... QUI VEUT CH'BATTRE ?....

GLOUP ! GLOUP ! GLOUP !

LAÎCHE-MOI GOÛTER.

TOUCHE PAS !... CH'EST TON MONNEAU !... MEAU TONNON... TEAU... HIPS !

... ET PUIS ZUT !

HIPS !

?!?!

EH !... VIENS UN PEU ICI, TOI !

.·HIPS !.. VÔUI ?

SPLATCH !

HIHIHIHI !

AU PETIT MATIN... ALLONS ESSAYER DE RÉCUPÉRER LA MAGIQUE POTION'S TONNEAU. RELAX NOUS PRÊTE SA CHARRETTE. C'EST UN JOYEUX BON GARÇON.

20A

C'EST ÉTRANGE, CES CHARS À DEUX ÉTAGES...

ILS SONT DESTINÉS AU TRANSPORT PUBLIC... EN HOMMAGE À L'EMPIRE ROMAIN, ON LES APPELLE DES IMPÉRIALES.

OMNIBVS-BVS

IV

ET CES PETITS TOITS PORTATIFS ?

ÇA, C'EST POUR ÉVITER QUE LE CIEL NE NOUS TOMBE SUR LA TÊTE.

IL EST TROP CHER MON MELON ?!?

IL EST !

TU AS VU, ASTÉRIX ? CE LONDINIEN EST COIFFÉ D'UN MELON !

NOUS APPROCHONS DU PALAIS.

COMMENT ALLONS-NOUS FAIRE POUR PASSER LES SENTINELLES ?

NOUS N'AVONS PAS LE TEMPS DE FINASSER, PAR TOUTATIS ! SI ELLES NOUS EMPÊCHENT D'ENTRER, NOUS LEUR DONNONS DES BAFFES !

ÇA C'EST UN TRÈS BON PLAN !

TAP ! TAP ! TAP !

MAIS LES SENTINELLES ONT UN PEU PERDU DE LEUR RIGIDITÉ COUTUMIÈRE...

HIPS !

20B

GLOU GLOUGLOU

ÇA VA PRENDRE TROP DE TEMPS DE GOÛTER À TOUS CES TONNEAUX. IL NE FAUT PAS S'ATTARDER DANS LE PALAIS; C'EST DANGEREUX !

CH'EST DANGEREUX... HIPS !... MAIS CH'EST BON !

OBÉLIX ! TU N'AS PAS HONTE ? ARRÊTE DE BOIRE, ET AIDE-MOI À TRANSPORTER TOUS CES TONNEAUX DANS LA CHARRETTE QUI NOUS ATTEND !

VITE ! NOUS AVONS PLUSIEURS VOYAGES À FAIRE !

PEU APRÈS...

TOUS LES TONNEAUX SONT DANS LA CHARRETTE. ALLONS-Y, JOLITORAX, ET ESSAYONS DE NE PAS NOUS FAIRE REMARQUER !

TCHIC ! TCHIC !

ILS ONT DES TONNEAUX RONDS, VIVE LA BRETAGNE...

...ILS ONT DES TONNEAUX RONDS, VIVENT LES BRETONS !

OBÉLIX ! TAIS-TOI ! TU VAS NOUS FAIRE REMARQUER !

BOUHOUHOU ! TU NE M'AIMES PAS ASTÉRIX ! BOUHOUHOU !

MAIS SI, JE T'AIME OBÉLIX... MAIS TU VAS ATTIRER LES PATROUILLES ROMAINES...

MOI JE T'AIME, ASTÉRIX, ET SI UNE... HIPS! PATROUILLE ESSAIE DE TE FAIRE DU MAL... HIPS! TU VERRAS !!!

AOH. UNE ROMAINE PATROUILLE !

28

ÇA FAIT DES HEURES QUE NOUS PARCOURONS LONDINIUM... IMPOSSIBLE DE TROUVER CETTE CHARRETTE !

C'EST COMME CHERCHER UNE AIGUILLE DANS DU FOIN EN BOTTES !

OH ! L'AUBERGE DE RELAX !!!

MA BONTÉ !!!

LA GAULOISE AMPHORE

QUE S'EST-IL PASSÉ ?

LES ROMAINS SONT VENUS, ILS ONT TOUT FOUILLÉ, TOUT CASSÉ ET ILS SONT PARTIS AVEC DEUX PRISONNIERS : RELAX ET UN GROS QUI DORMAIT AVEC DES CASQUES SUR LE VENTRE.

MON OBÉLIX PRISONNIER DES ROMAINS !

COURAGE, ASTÉRIX ! GARDEZ VOTRE LÈVRE SUPÉRIEURE RIGIDE !

NOUS LES RETROUVERONS ! OBÉLIX ET LA POTION MAGIQUE, PAR TOUTATIS !

PAF !

25ᴬ

OÙ PEUVENT-ILS LES AVOIR EMMENÉS ?

À LA LONDINIUM TOUR, JE PENSE. C'EST LA PRISON LA PLUS SÛRE DE LA VILLE ! IL N'Y A QUE DEUX PORTES, ET ELLES SONT BIEN GARDÉES.

CROAAA !

CROAÀA !

CROAAA !

LA SINISTRE TOUR DE LONDINIUM !

EH BIEN, BUVONS CE QU'IL NOUS RESTE DE POTION MAGIQUE ET ALLONS-Y !

POP !

ET DANS UN CACHOT, TOUT EN HAUT DE LA TOUR...

OÙ... OÙ SUIS-JE ?

À LONDINIUM TOUR... J'AI BIEN PEUR QUE NOTRE COMPTE SOIT BON.

MAIS MÊME S'ILS NOUS FONT BOUILLIR AVEC DE LA SAUCE À LA MENTHE, **NOUS NE PARLERONS PAS !**

NE CRIONS PAS SURTOUT !

25ᴮ

AÏE !
OUÏLLE !
NON !
ASSEZ !
PAR JUPITER !
HOULA LA !

OBÉLIX ! OÙ ES-TU ?

C'EST ASTÉRIX QUI EST LÀ-HAUT ! MONTONS LE REJOINDRE !

VOUS VOULEZ REVENIR DANS LA TOUR ?!

ASTÉRIX ! JE SUIS LÀ ! JE MONTE !

OBÉLIX ! JE DESCENDS !

AÏE !
OUÏLLE !

ENTREZ OU SORTEZ, MAIS CESSEZ DE NOUS TAPER DESSUS, PAR JUPITER !

ASSEZ !

NON !

ET ENFIN...

PORTE II

J'AI HONTE POUR TOUT CE QUI S'EST PASSÉ, ASTÉRIX.

IL NE S'EST RIEN PASSÉ, OBÉLIX.

ÇA, C'EST LA MEILLEURE !

PEU APRÈS, DANS LE PALAIS DU GOUVERNEUR...

COMMENT : ÉVADÉS ??

RETROUVEZ-LES, OU JE FAIS NOYER TOUTE LA GARNISON DANS DE LA CERVOISE TIÈDE !!!

DES BRETONS ! DES GAULOIS ! DES IVROGNES !... J'EN AI ASSEZ ! ASSEZ ! ASSEZ ! SANGLOTS !

LVII C'EST ICI.

ON Y VA ASTÉRIX ?

ON Y VA, OBÉLIX !

CRAAAC!

FRRP FRRP

29ª

JE DIS ! QUELLE EST CETTE INTRUSION ? CHOQUANT !

CALMEZ-VOUS, PÉTULA. CES HOMMES NOUS EXPLIQUERONT LEUR FAÇON D'AGIR. QUOI ?

FOYER DOUX FOYER

JE DIS ! EST-CE BIEN LE Nº LVII, ICI ?

NON, CE N'EST PAS. ICI, C'EST LE Nº LVIII MAIS IL Y A UN I QUI EST TOMBÉ.

NOUS NOUS SOMMES TROMPÉS. NOUS VOUS REMBOURSERONS VOTRE PORTE. NOUS EXCUSEREZ-VOUS ?

PLUTÔT, QUOI ?

FOYER DOUX FOYER

PÉTULA, VOUS ME RAPPELEREZ DE REPLACER LE I QUI MANQUE. ET MAINTENANT, JE PRENDRAIS BIEN UNE TASSE D'EAU CHAUDE AVEC DES RÔTIES.

CETTE FOIS-CI, JE CROIS QUE C'EST ICI.

ON Y VA, ASTÉRIX ?

ON Y VA, OBÉLIX !...

CRAAAC!

C'EST BIEN LE LVII, ICI ? IL NE VOUS MANQUE PAS DE I ?

OU...OUI, N... NON, MAIS DE QUEL DROIT ?...

29ᵇ

AH!

QUE VOULEZ-VOUS DIRE PAR LÀ ?

CE TONNEAU !

JE... JE L'AI ACHETÉ LÉGALEMENT...

NON. CE N'EST PAS LA MAGIQUE POTION.

VOLEUR !

SNIFF! SNIFF!!

RELAX

TU PARLERAS, PAR BÉLÉNOS !

CRAC !

NOS VOISINS SONT ÉTRANGEMENT BRUYANTS AUJOURD'HUI, N'EST-IL PAS, PÉTULA ?

IL EST UN NUAGE DE LAIT DANS VOTRE EAU CHAUDE ?

CLANG !

PLUTÔT.

PARLERAS-TU ? PARLERAS-TU ?

PARLERAS-TU, PAR TOUTATIS !?

OW... JE DIS ! J'AIMERAIS QUE LE VOISIN PARLE, PÉTULA, POUR QUE JE PUISSE LIRE MON JOURNAL TRANQUILLEMENT !

JE PARLERAI !

JE PARLERAI !

AH ! ÇA C'EST BIEN.

CLIC! CLIC! CLIC.

J'AI VOLÉ VOTRE CHARRETTE ET J'AI VENDU TOUS LES TONNEAUX SAUF CELUI-CI... J'AI LES NOMS ET LES ADRESSES DE TOUS MES CLIENTS... JE PEUX AUSSI VOUS DONNER LA LISTE DE TOUT CE QUE J'AI VOLÉ LE MOIS DERNIER...

35

NOUS VOULONS VOIR L'ÉQUIPE DE CAMULODUNUM !

FAITES COMME TOUT LE MONDE : ALLEZ ACHETER VOS BILLETS. POUR LE MÊME PRIX, VOUS VERREZ LES DEUX ÉQUIPES, MON BON AMI.

QUI N'A PAS SA SAUCE À LA MENTHE ?!

CERVOISE BIEN TIÈDE !

EAU CHAUDE ! EAU CHAUDE !

ACHETEZ LES FANIONS ET INSIGNES DE VOS FAVORITES ÉQUIPES !

?!?

JE DIS. VOICI NOS PLACES.

EXPLIQUE-NOUS LA RÈGLE DU JEU, JOLITORAX.

VIVE CAMULODUNUM

VIVE DUROVERNUM

...VOICI LES BARDES CALÉDONIENS...

OUIiiiiiiN ! GNiiiiiNNN !

BOUM ! BOUM !

TRÈS SIMPLE, VRAIMENT. ON A PRATIQUEMENT LE DROIT DE TOUT FAIRE POUR PORTER LA CALEBASSE DANS LES BUTS DE L'ADVERSAIRE. SEUL, L'USAGE DES ARMES EST INTERDIT, SAUF ACCORD PRÉALABLE...

VOICI L'OIE SACRÉE DE L'ÉQUIPE DE CAMULODUNUM...

ALLEZ CAMULODUNUM !

...VOICI LA POULE DE DUROVERNUM...

VIVE DUROVERNUM !

ET VOICI LES JOUEURS !!!

ALLEZ CAMULODUNUM !

VIVE DUROVERNUM !

PON !

ÇA, C'EST LE DRUIDE ARBITRE QUI DONNE LE SIGNAL DU COUP D'ENVOI DE LA CALEBASSE...

BLAM !

34 a

ALLEZ DUROVERNUM

BONG
BONG !
BONG !
BONG !

IL FAUT INTRODUIRE CE JOLI JEU EN GAULE !

OUI, MAIS L'ÉQUIPE DE CAMULODUNUM NE SEMBLE PAS DOMINER... ET SI LES JOUEURS AVAIENT BU DE LA POTION MAGIQUE...

PON !

?!?

BONG !
BONG !
BONG !

34 b

NON... CE N'EST PAS DE LA SIMULATION... SOIGNEURS !

ALLEZ DUROVERNUM

POC !

JE DIS, VIEIL HOMME, C'EST BIEN TOI QUI M'AS PIÉTINÉ LA FIGURE, N'EST-IL PAS ?

ESSAYONS DE CONSERVER NOTRE CALME. CECI N'EST QU'UN JEU, ET TOUTE CETTE SORTE DE CHOSES.

¡PIROURAX A MARQUÉ UN ESSAÍ. MAINTENANT, IL VA TÂCHER DE RÉUSSIR LA TRANSFORMATION!

C'EST BIEN LA POTION MAGIQUE. ALLONS-Y !

CORNE DE BOUC GARÇON ! QUI T'A PERMIS D'ABANDONNER TON POSTE DE VIGIE ?

J'AI 'EÇU UNE CALEBASSE SU' LE C'ÂNE !

PAR OÙ ALLONS-NOUS, JOLITORAX ?

LE FLEUVE EST JUSTE DEVANT NOUS. NOUS FUIRONS PAR LÀ !

LES ROMAINS LÉGIONNAIRES NOUS POURSUIVENT !

ON LES ATTEND, ASTÉRIX ?

NON ! PRENONS VITE UN DE CES BATEAUX !

ON LES POURSUIT, DÉCURION ?

CE N'EST PAS LA PEINE ! ILS SONT FAITS COMME DES RATS ! ON A PRÉVU LA FUITE POSSIBLE PAR LE FLEUVE. NOS NAVIRES DE SURVEILLANCE VONT LES ARRÊTER !

EN EFFET...

UNE ROMAINE GALÈRE !!!

39A

RENDEZ-VOUS, PAR JUPITER !!!

JAMAIS, PAR TOUTATIS !!!

JE NE VEUX PAS VOUS JETER LA PIERRE, MAIS VOUS AVEZ TORT... ENVOYEZ !!!

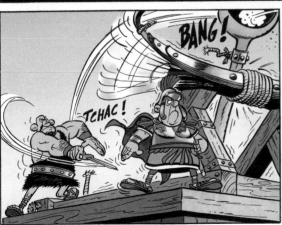

BANG !

-TCHAC !

J'AI FAIT MUSCA !*

NOUS N'AVONS PAS EU LEUR POTION MAGIQUE, MAIS NOUS NOUS SOMMES DÉBARRASSÉS DE CES GAULOIS ! ALLONS ANNONCER LA BONNE NOUVELLE AU GOUVERNEUR CAIUS ROIDEPRUS !

SICHOUF !

*NOM LATIN DE LA MOUCHE.

39B

43

ILS S'ÉLOIGNENT. NOUS POUVONS REGAGNER LA RIVE.

LEUR PROJECTILE EST TOMBÉ EN PLEIN SUR LE TONNEAU DE POTION MAGIQUE !

ILS NE NOUS ONT MÊME PAS LAISSÉ LE TEMPS DE LEUR TAPER DESSUS, CES ROMAINS !

ILS N'ONT PAS ÉTÉ FRANC JEU !

NE SOIS PAS ABATTU, MON BON OBÉLIX. NOUS IRONS AIDER JOLITORAX DANS SON VILLAGE À COMBATTRE LES ROMAINS, MÊME SANS POTION MAGIQUE.

VOUS SEREZ LES BIENVENUS. C'EST UNE SÛRE CHOSE.

SNIFF ! SNIFF !

ET AINSI, SANS ÊTRE DÉRANGÉS PAR LES ROMAINS QUI LES CROIENT DISPARUS, NOS TROIS AMIS PARTENT VERS CE PETIT VILLAGE DANS LE CANTIUM, QUI RÉSISTE TOUJOURS À L'ENVAHISSEUR. LA POTION MAGIQUE, ELLE, S'EST DILUÉE DANS LES EAUX GLAUQUES DE LA TAMISE...

...CE QUI AURA POUR CONSÉQUENCE DE FAIRE CONNAÎTRE DES ÉMOTIONS ÉTRANGES AUX PÊCHEURS, CETTE SAISON-LÀ...

JE DIS ! ÇA MORD !

...CAR LES PLUS PETITS POISSONS FONT BOIRE LA TASSE AUX PÊCHEURS...

...CE QUI PERMET AUX PÊCHEURS QUI ONT BU LA TASSE DE RÉDUIRE AU SILENCE LES AUTRES PÊCHEURS AMUSÉS PAR L'INCIDENT.

TCHAC!

QUELQUES JOURS PLUS TARD, NOS AMIS ARRIVENT DANS LE VILLAGE DE JOLITORAX, OÙ ILS SONT ACCUEILLIS PAR LE CHEF ZEBIGBOS, ET SES PRINCIPAUX ADJOINTS : O'TORINOLARINGOLOGIX, ET MAC ANOTÉRAPIX...

VOUS AVEZ PU FRANCHIR LES ENNEMIES LIGNES ?

OUI, ILS SEMBLENT TRÈS SÛRS D'EUX-MÊMES. NOUS N'AVONS ÉTÉ INTERPELÉS QUE PAR UNE SEULE PATROUILLE !

ET POURTANT, JE N'AVAIS PAS LE CŒUR À RIRE.

44

VOUS AVEZ DONC PERDU LA MAGIQUE POTION ?... ALORS, NOUS SOMMES PERDUS. APPRENANT LA NOUVELLE, LES ROMAINES LÉGIONS VONT NOUS ENVAHIR !

NOUS MOURRONS LES ARMES À LA MAIN, JE DIS !

JOYEUSE BONNE IDÉE !

NE DÉSESPÉREZ PAS, PAR TOUTATIS ! J'AI RETROUVÉ DANS MA POCHE DES HERBES DE MON VILLAGE QUI ME PERMETTRONT DE FAIRE DE LA POTION MAGIQUE !

APPORTEZ-MOI UNE MARMITE PLEINE D'EAU CHAUDE ! JE VAIS VOUS PRÉPARER LA POTION MAGIQUE !

NOUS SOMMES SAUVÉS ! N'EST-CE PAS MERVEILLEUX ?

C'EST !

VRAIMENT, C'EST !

TU SAIS PRÉPARER LA POTION MAGIQUE, ASTÉRIX ?

NON, OBÉLIX. SEUL PANORAMIX, NOTRE DRUIDE, POSSÈDE LE SECRET DE LA POTION MAGIQUE...

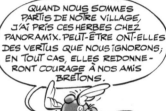

QUAND NOUS SOMMES PARTIS DE NOTRE VILLAGE, J'AI PRIS CES HERBES CHEZ PANORAMIX. PEUT-ÊTRE ONT-ELLES DES VERTUS QUE NOUS IGNORONS; EN TOUT CAS, ELLES REDONNE-RONT COURAGE À NOS AMIS BRETONS.

41A

VOICI LA CHAUDE EAU !

JE DIS ! QUEL MORCEAU DE CHANCE QUE VOUS PUISSIEZ PRÉPARER LA POTION !

CE SERA LONG ?

C'EST PRÊT.

AH ?... C'EST AUSSI SIMPLE QU'UNE RECETTE DE CHEZ NOUS... JE VAIS APPELER MES GUERRIERS

AOH. JE ME MÉFIE DE LA GAULOISE CUISINE.

IL N'Y A PAS D'AIL DANS CETTE MAGIQUE POTION, AU MOINS ?

POURRAIS-JE AVOIR UN NUAGE DE LAIT AVEC MA MAGIQUE POTION ?

ILS SONT FOUS, CES BRETONS !

TOC! TOC! TOC!

TOC! TOC! TOC!

ET MAINTENANT, IL NE NOUS RESTE PLUS QU'À ATTENDRE LA ROMAINE ATTAQUE !

41B

45

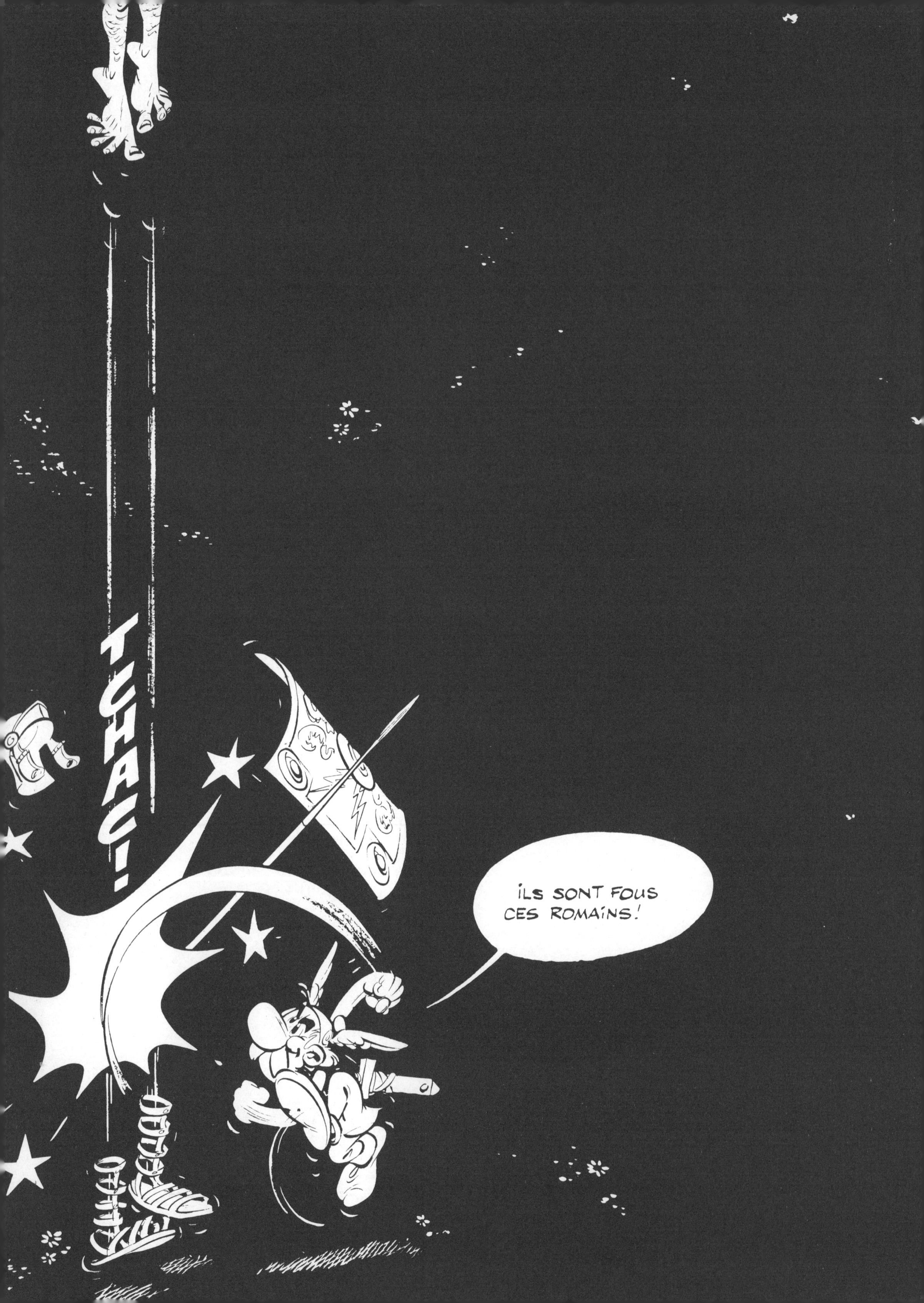
TCHAC!!
ILS SONT FOUS CES ROMAINS!